Dieses Buch ist auch als E-Book erhältlich.

FSC MIX
Papier aus verantwor-
tungsvollen Quellen
FSC® C084279
www.fsc.org

Verlagsgruppe Random House FSC® N001967

6. Auflage
© 1976 der deutschsprachigen Ausgabe: cbj Kinder- und Jugendbuchverlag
in der Verlagsgruppe Random House, Neumarkter Str. 28, 81673 München
Alle deutschsprachigen Rechte vorbehalten
© 1949 Thorbjørn Egner
Die norwegische Originalausgabe erschien 1949 unter dem Titel:
»Karius & Baktus«
Übersetzung: Thyra Dohrenburg
Deutsche Fassung der Liedtexte: James Krüss
Umschlagbild und Innenillustrationen: Thorbjørn Egner
Umschlaggestaltung: basic-book-design, Karl Müller-Bussdorf
SaS · Herstellung: hag
Satz und Reproduktion: ReproLine mediateam, München
Druck: Print Consult GmbH, München
ISBN 978-3-570-15929-3
Printed in the Slovak Republic

www.cbj-verlag.de

Thorbjørn Egner

KARIUS & BAKTUS

Eine Geschichte
mit farbigen Bildern, lustigen Liedern
und Noten von Thorbjørn Egner

Lustige Tage

Es war einmal ein Junge und das war Jens. Er hatte Zähne im Mund und das haben wir ja alle. Aber Jens hatte in einem Zahn ein Loch, und in dem Loch wohnten zwei winzige Burschen, die hießen Karius und Baktus.

Das waren vielleicht ein paar wunderliche Namen, aber es waren auch ein paar wunderliche Burschen! Sie waren so winzig klein, dass man sie nur durch ein starkes Vergrößerungsglas sehen konnte.

Der eine hatte schwarze Haare und der andere rote und sie lebten beide von Süßigkeiten und davon gab es hier genug. Sie sangen und hatten ihren Spaß, und wenn sie nicht schliefen oder aßen, dann klopften und hackten sie im Zahn, weil sie das Haus richtig groß und prächtig und geräumig machen wollten.

Eines Tages meinte der eine von den beiden, nun wäre es genug.

»Karius«, sagte er, »jetzt haben wir geklopft und gehackt und gehackt und geklopft. Nun, finde ich, ist unser Haus groß genug.«
Aber darin stimmte Karius gar nicht mit ihm überein.
»Wir müssen es noch viel größer machen«,

sagte er. »Du darfst nicht vergessen, dass wir Tag
für Tag wachsen und größer werden, weil wir
so viel Kuchen und Bonbons futtern. Streng
dich mal ruhig ein bisschen an, Baktus!«
»Ja, ja, dann strengen wir uns also an!«
Kurz darauf aber musste Baktus sich ausruhen

und er fing wieder an zu trödeln. Er blickte aus
dem Fenster, und als er all die weißen Zähne
sah, kam ihm plötzlich ein Gedanke.
»Du, Karius«, sagte er.
»Ja, was gibt's denn?«, fragte Karius.
»Mir fällt ein – könnten wir uns nicht noch

ein Haus da oben in dem Eckzahn bauen? Ich
könnte mir vorstellen, dass es dort viel schöner
ist als hier unten in dem finsteren Loch.«
»Du solltest lieber deinen Verstand ein wenig
gebrauchen, Brüderchen. Du musst doch einse-
hen, dass wir hier unten viel gemütlicher und

friedlicher wohnen. Denk doch mal, wenn die
gräuliche Zahnbürste ankäme«, sagte Karius.
Aber Baktus lachte nur: »Ha, ha, ha – was küm-
mert uns die! Jens putzt sich nie die Zähne.«
»Da solltest du dir nicht so sicher sein«, sagte
Karius. »Einmal hat er sich schon die Zähne
geputzt, das weiß ich noch ganz genau.«
»Einmal, ja, aber das ist doch schon ewig her.
Nö, hier in Jens' Mund, da sind wir sicher.«
»Ja, wenn du das meinst, dann kannst du bauen,

wo du Lust hast«, sagte Karius. »Ich bleib jedenfalls hier unten.«

Baktus stand lange am Fenster und schaute nachdenklich zu dem weißen Eckzahn hinauf. »Da möchte ich wohnen«, sagte er. »Da wäre es viel vornehmer als hier. Denk doch nur, Karius, wenn wir hier drinnen noch mehr werden und wenn dann bald in allen Zähnen Häuser sind, dann kann ich wie ein König in meinem neuen Haus sitzen und auf die ganze Stadt herabblicken.«

»Es ist nicht sicher, dass wir so viel mehr werden. Es hängt davon ab, ob wir genügend Süßigkeiten bekommen.«

»Nun hör aber auf«, sagte Baktus, »wir kriegen doch so viel, dass wir beinahe platzen.«

»Ja, aber so ist es nicht immer gewesen«, sagte Karius. »Denk doch nur an die Zeit, als der Junge immer nur Mohrrüben und Schwarzbrot aß. Das war ein rechtes Elend! Ich wäre beinahe vor Hunger gestorben.«

»Dass du auch immer von was Traurigem reden musst, Karius, von so was wie Mohrrüben und Schwarzbrot … Hallo, pass auf! Jetzt gibt's was zu futtern!«

»Das ist sicher nur Vollkornbrot!«

»Nein, Karius, es ist süßer Butterkuchen – mit dick Zucker drauf!«

»Au fein! Au fein!«

Hei, hurra, hurra, hurra,
süßes Zuckerzeug ist da!
Zwischen allen Zähnen schon
tropft der Saft vom Lutschbonbon.
Karamellen gibt es hier,
Eisbonbons in Glanzpapier,
Butterkuchen, Früchtebrot,
Bonbons, gelb und blau und rot.
Tralalalala, tralalalala!
Tralalala, lalala, lalala!

Zwei Tage später

Den beiden Burschen ging es gut. Aber die Zähne, die gehörten Jens, und er freute sich nicht so sehr über Karius und Baktus, denn solche Burschen machen die Zähne kaputt. Und weh tut es auch. Jeder, der mal Zahnschmerzen gehabt hat, weiß, dass es fast das Schlimmste ist, was es gibt. Davon soll in diesem Kapitel noch mehr erzählt werden.

Es spielt zwei Tage später. Baktus hatte sich oben im Eckzahn ein Haus gebaut und saß nun auf dem Balkon und ließ sich's wohl sein, während Karius unten in dem alten Haus klopfte und bohrte.

»Hallo, Karius, bist du da unten?«

»Du kannst doch hören, wie ich arbeite!«

»Was machst du?«

»Ich bohre einen unterirdischen Gang von meinem Zahn zu dem großen da.«

»Das ist ja mal ein feiner Gedanke«, sagte Baktus.

»Und wie geht's dir da oben?«, fragte Karius.

»Hier geht's gut! Gerade sitze ich und genieße die Aussicht – weiße Berggipfel, so weit das Auge reicht!«

»Was wimmert denn da so?«, fragte Karius.

»Pscht! Lass mal hören«, sagte Baktus.

»Ich hab solche Zahnschmerzen!«

»Ach was, das ist nur der Jens, der jammert«, sagte Baktus.

»Konntest du verstehen, was er gesagt hat?«

»Er sagte: *Ich hab solche Zahnschmerzen*«, wimmerte Baktus, genauso wie Jens, und machte sich lustig über ihn und dann lachten sie beide und Baktus lachte am allermeisten.

»Ich finde, der Jens ist ein fürchterlicher Heulfritze.«

»Ich will ihn doch mal ein bisschen ärgern«, sagte Karius eifrig. »Jetzt klopfe ich mal an einer Stelle, wo es ihm wehtut. Hör mal!«

Und dann klopfte er irgendwo ganz tief unten.

»Au! Au! Au!«

»Konntest du was hören?«, fragte er.

»Er sagte: *Au, au, au«,* sagte Baktus und dann lachten sie so, dass sie sich den Bauch halten mussten.

»Mach es doch noch mal«, sagte Baktus.

Und Karius machte es noch einmal.

»Ich hab solche Zahnschmerzen!«

»Hahahaha!«, lachten die beiden.

»Du musst dir die Zähne putzen, Jens!«

»Wer war das?«, fragte Karius erschrocken.

»Das war Jens' Mutter«, sagte Baktus.

»Was hat sie gesagt?«

»Sie hat gesagt: *Du musst dir die Zähne putzen, Jens.«*

»Oh, das ist schlimm, Baktus. Denk bloß, wenn die grässliche Zahnbürste ankommt. Was sollen wir tun?«

»Wir überreden ihn dazu, dass er es lässt«,

sagte Baktus. »Wir rufen ihm zu, er soll nicht auf eine Mutter hören. Wir rufen es beide gleichzeitig. Eins, zwei, drei:

Du musst nicht auf deine Mutter hören, Jens!
Du musst nicht auf deine Mutter hören!«

»Er tut es trotzdem!«, rief Baktus. »Ich höre doch, wie er Wasser in sein Zahnputzglas gießt! Und da kommt die grässliche Bürste! Hilfe, Karius! Hilfe!!«

»Spring!«, rief Karius. »Komm rasch zu mir herunter, hier bist du sicherer als bei dir da oben!« Baktus hüpfte von seinem Haus und kroch zu Karius hinein.

Es war im allerletzten Augenblick. Gerade hatte er das Hinterteil hereingezogen, da flitzte auch schon die Zahnbürste vorbei. Wasser und Schaum schossen zu den beiden herein.

»Äh – bäh! – Ich ersticke an der grässlichen Zahnpasta!«, rief Karius und hustete und spuckte.

»Und wie es brodelt und zischt«, sagte Baktus.

»Bäh – pfui!«

»So, endlich hat er aufgehört«, sagte Karius.

»Meinst du, wir können uns jetzt hinauswagen?«, fragte Baktus.

»Vorsichtig, vorsichtig!«, sagte Karius und machte die Tür einen Spalt weit auf.

»Oh, was für ein Jammer!«, rief Baktus.

»Was ist denn?«

»Alles ist futsch. Nicht das kleinste bisschen zu essen ist mehr da.«

»Kein bisschen!«

Alles das, was lecker war,
ist nun fort, wie sonderbar!
Alles Süße, lieber Schreck,
putzte eine Bürste weg!
Links und rechts und hin und her
gibt es nun kein Naschwerk mehr.
Keinen Sirup kann man sehn.
Sagt, wie soll das weitergehn?

Beim Zahnarzt

Nachdem Jens sich die Zähne geputzt hatte, ließen die Zahnschmerzen gleich ein wenig nach. Aber ganz gingen sie nicht weg – denn die Löcher waren ja noch da. Gegen Morgen fingen die Burschen wieder an zu klopfen.

Da fand Jens' Mutter einen guten Ausweg und davon handelt das dritte Kapitel, denn das spielt sich beim Zahnarzt ab.

»Weshalb bist du so böse?«

»Ich habe Hunger«, erwiderte Karius.

»Es wird schon bald was Leckeres kommen«, sagte Baktus.

»Das sieht aber nicht so aus.«

»Vielleicht sollten wir mal mit Jens reden.«

»Ach was, Unsinn!«, sagte Karius. »Er hört nicht mehr auf das, was wir sagen.«

»Wenn wir es nun beide gleichzeitig rufen – dann hört er es vielleicht doch«, sagte Baktus.

»Was sollen wir denn rufen?«

»Wir möchten Butterkuchen haben.«

»Na, meinetwegen, das können wir ja mal versuchen«, sagte Karius.

Und dann riefen sie: »Wir möchten Butterkuchen haben!«

»*Mach den Mund auf!*«

»Hast du was gehört?«, fragte Karius.

»Da war ein Mann, der sagte irgendwas«, ent-
gegnete Baktus und wunderte sich.

»Was sagte er denn?«

»Er sagte: *Mach den Mund auf.*«

»Das ist doch sonderbar«, meinte Karius.

»Vielleicht war es der Bäcker«, sagte Baktus erfreut. »Vielleicht hat es was genützt, dass wir gerufen haben! Guck mal, er macht den Mund auf!«

»Ich hoffe, es ist Zucker drauf«, sagte Karius. Sie warteten ein Weilchen, aber es kam nichts.

Da wurde Baktus ungeduldig. »Was soll denn
das? Wie lange soll er dasitzen und den Mund
aufsperren, bis was hereinkommt?«

»O weh, wie wird es plötzlich hell!«, sagte
Karius. »Es ist, als käme die ganze Sonne herein.
Klettere hinauf und sieh nach, was los ist.«

Baktus kletterte auf Karius' Schultern und lugte über den Rand des Loches.

»Siehst du was?«, fragte Karius.

»Ich sehe eine große runde Lampe. Die ist zehnmal größer als die Sonne.«

»Ist da noch mehr zu sehen?«, fragte Karius besorgt.

»Ja, ein Mann in einem weißen Kittel.«

»Das ist ja ein schönes Pech! Dann ist es der Zahnarzt!«

»Sind Zahnärzte gefährlich?«

»Zahnärzte, ja. Das sind die Schlimmsten, die es gibt. Sie machen unsere Häuser kaputt und stopfen die Löcher zu.«

»Oh, Karius, ich habe Angst!«

»Was brummt denn da so?«, fragte Karius.

»Da ist etwas Großes und Garstiges und Blankes, das brummt und dreht sich rundherum«, sagte Baktus.

»O weh! Dann ist es ein Bohrer.«

»Es kommt immer näher und näher. Was sollen wir bloß machen? Hilfe! Es kommt hierher!«

»Wir müssen fliehen. Schnell, Baktus!«

Baktus hüpfte hinunter und beide Burschen rannten zurück und standen schließlich hinter dem allerletzten Zahn und sahen mit Entsetzen, was da alles vor sich ging.

»Sieh mal, Karius, jetzt bohrt er in unseren Häusern herum.«

»Oh, was bin ich wütend!«

»Sollen wir hinlaufen und den Bohrer beißen?«, fragte Baktus.

»Das geht nicht«, sagte Karius, »der ist zu hart.«

»Wir könnten dem Zahnarzt in die Finger beißen.«

»Das hat keinen Zweck.«

»Wir könnten in seinen Mund springen und an seinen Zähnen herumklopfen«, rief Baktus. Er war sehr wütend.

»Mit Zahnärzten kann man nicht spaßen.«

»Wenn es doch bloß keine Zahnärzte auf der

Welt gäbe! – Sieh doch, jetzt spritzt er noch mit Wasser.«

»Pfui, was für ein Quatsch!«, sagte Karius.

»Oh nein, Karius, jetzt stopft er das Loch im Eckzahn zu. Mein feines Haus! Jetzt renne ich hin und beiße ihn!«

»Halt, Baktus! Er spült dich nur hinaus.«

»Schau! Jetzt stopft er auch noch dein Haus zu«, rief Baktus.

Karius platzte beinahe vor Wut. »Willst du wohl damit aufhören! Hallo, du Zahnarzt! Wirst du das jetzt wohl sein lassen!«

»Er hört es nicht«, sagte Baktus.

»Er will es nicht hören«, sagte Karius.

»Und jetzt ist es zu spät«, sagte Baktus. »Er ist fertig. Da war mein Haus mit der feinen Aussicht. Jetzt ist da kein Haus mehr.«

»Und hier war meine große Höhle«, sagte Karius. »Die ist auch hin.«

»Auch nicht das winzig kleinste Loch ist mehr da«, sagte Baktus.

Sagt, wohin in dieser Nacht?
Jeder Zahn ist blank gemacht.
Ist das nicht ein Graus, ein Graus?
Alles Süße flog hinaus.
Sagt, was haben wir getan?
Nirgendwo ein hohler Zahn.
Müde sind wir, arm und schwach
ohne Bett und Haus und Dach.

Am Abend

Jens kam vom Zahnarzt nach Hause. Er war glücklich, weil er keine Löcher mehr in den Zähnen hatte und weil die Zahnschmerzen weg waren. Aber wie war es Karius und Baktus ergangen?

Im letzten Kapitel erfahren wir, was schließlich mit ihnen geschah.

»Es sind schlechte Zeiten, Baktus!«

»Ja, da hast du recht – schlechte Zeiten.«

»Nichts Süßes mehr und kein Platz zum Wohnen.«

»Nichts Süßes und kein Platz zum Wohnen.«

»Puh!«, sagte Karius.

»Puh!«, sagte Baktus.

»Vielleicht sollten wir versuchen, heute hier in der Ecke zu schlafen?«, sagte Baktus.

»Ich habe viel zu großen Hunger, um zu schlafen.«

»Sieh mal!«, rief Baktus. »Jens macht den Mund auf! Vielleicht kommt da was Gutes.«

»Das glaube ich nicht, dass da was Gutes kommt«, sagte Karius.

»Wenn du mich stützt, dann klettere ich mal hoch und sehe nach«, sagte Baktus.

Karius half ihm hinauf und Baktus blickte über den Zahnrand.

»Kannst du was sehen?«

»Ja – ich sehe – ach, es ist schrecklich!«

»Was denn?«, fragte Karius.

»Die Bürste! Wieder die Zahnbürste!« Baktus kletterte, so schnell er konnte, herunter. »Was sollen wir machen?«

»Nirgendwo ein Loch, wo wir hineinkriechen können«, sagte Karius.

»Nirgendwo ein Loch, wo wir uns verstecken können«, sagte Baktus.

»Jens, Jens, lass das sein!«, riefen die beiden Burschen. »Wir wollen dich nie mehr quälen – wir versprechen dir, dass wir dich nie mehr quälen wollen!«

»Wir müssen uns verstecken, Karius.«

»Aber wo – wo nur?«, fragte Karius.

Im selben Augenblick kam die Bürste angeflitzt, dass es nur so schäumte.

»Hilfe, die Bürste holt mich!«, rief Baktus.

»Halt dich fest, Baktus!«

»Ich kann nicht, Hilfe, Hilfe!«

»Mach, dass du wegkommst, du dumme Bürste!«

»Hilfe!«

Aber es nützte nichts. Sie hatten keine Löcher, in denen sie sich verstecken konnten, und darum wurden sie zusammen mit Wasser und Schaum aus dem Mund hinausgebürstet.

Sie fielen durch das Rohr der Wasserleitung und schwammen bis zu dem großen, tiefen

Meer und hier schwimmen sie noch immer und suchen nach einem anderen Zahnloch, in das sie hineinkriechen können.

Karius und Baktus könnten einem fast ein bisschen leidtun, aber einen gab es, der sich freute, und das war der, dem die Zähne gehörten. Das war Jens.

Das leckere Lied

Allegretto   Melodie: Chr. Hartmann

Hei, hur - ra, hur - ra, hur - ra, sü - ßes Zu - cker - zeug ist da!

Zwi-schen al - len Zäh - nen schon tropft der Saft vom Lutsch-bon-bon.

Ka - ra - mel - len gibt es hier, Eis - bon - bons in Glanz-pa - pier,

But - ter - ku - chen, Früch - te - brot, Bon-bons, gelb und blau und rot.

Tra la la la la, tra la la la la la! Tra la la la la, la la la la, la - la la!

Das traurige Lied

Andante   Melodie: Chr. Hartmann

Al - les das, was le - cker war, ist nun fort, wie

son-der-bar! Al - les Sü - ße, lie - ber Schreck, putz - te ei - ne

Bürs - te weg! Links und rechts und hin und her gibt es nun kein

Nasch-werk mehr. Kei - nen Si - rup kann man sehn. Sagt, wie soll das

wei - ter - gehn? (Nachspiel)